Tha an leabhar seo le:

cù

Do mo chù, Hugo.
Dh' ionnsaich e ìoranas dhomh le bhith
a' milleadh cuid dhen obair-ealain
a rinn mi dhan leabhar seo.

A' chiad fhoillseachadh sa Bheurla 2019 le Nosy Crow Earr
The Crow's Nest, 10a lant Street, Lunnainn SE1 1QR
www.nosycrow.com

Tha na logos an cois Nosy Crow nan comharran malairt agus/no nan comharran malairt de Nosy Crow Earr.

A' chiad fhoillseachadh sa Ghàidhlig ann an 2020 le Acair
An Tosgan, Rathad Shìophoirt, Steòrnabhagh, Eilean Leòdhais HS1 2SD

info@acairbooks.com
www.acairbooks.com

An tionndadh Gàidhlig Acair
An dealbhachadh sa Ghàidhlig le Mairead Anna NicLeòid

Tha Acair a' faighinn taic bho Bhòrd na Gàidhlig.

Gheibhear clàr catalog CIP airson an leabhair seo ann an Leabharlann Bhreatainn.

Clò-bhuailte ann an Sìona

LAGE/ISBN 978-1-78907-066-8

Mo Chiad Leabhar Bheathaichean

Seo
cù

ROSS COLLINS

le cù

Seo

cù.

Seo

cat.

Seo
muncaidh.

Seo
rabaid.

Seo
feòrag.

Seo ~~crogall.~~

cù

Seo

sioraf.

Seo
ailbhean.

Seo
mathan.

Seo
mathan.

Seo

goiriola.

Seo
ruaigeadh.

Seo
dibhearsain.

Seo
an deireadh.

cùl!